Nous remercions le ministère du Patrimoine canadien,
la SODEC et le Conseil des Arts du Canada
de l'aide accordée à notre programme de publication

 Patrimoine   Canadian
canadien   Heritage

ainsi que le Gouvernement du Québec
– Programme de crédit d'impôt
pour l'édition de livres
– Gestion SODEC.

Illustration de la couverture
et illustrations intérieures:
Nathalie Huybrechts

Couverture:
Conception Grafikar

Édition électronique:
Infographie DN

Dépôt légal: 1er trimestre 2005
Bibliothèque nationale du Canada
Bibliothèque nationale du Québec

1234567890 IML 098765

Souréal et le secret d'Augehym Ier

• Série Cendrine, la reporter •

COLLECTION
PAPILLON

**DE LA MÊME AUTEURE
AUX ÉDITIONS PIERRE TISSEYRE**

Collection Papillon
Feuille de chou, roman, 2004.

Collection Sésame
Le séducteur, roman, 2005.

Données de catalogage avant publication (Canada)

Cossette, Hélène, 1961-

    Souréal et le secret d'Augehym Ier
    (Collection Papillon ; 109)
    Pour les jeunes de 9 ans et plus.

    ISBN 2-89051-927-9

    I. Titre II. Collection : Cossette, Hélène, 1961-   .
    Série Cendrine la reporter III. Collection Papillon
    (Éditions Pierre Tisseyre) ; 109.

PS8605.O87S68 2005   jC843'.6   C2004-941979-X
PS9605.O87S68 2005

Souréal et le secret d'Augehym Ier

roman

Hélène Cossette

ÉDITIONS
PIERRE TISSEYRE

5757, rue Cypihot, Saint-Laurent (Québec) H4S 1R3
Téléphone : (514) 334-2690 – Télécopieur : (514) 334-8395
Courriel : ed.tisseyre@erpi.com

*À tous mes professeurs
du certificat de journalisme
de l'Université de Montréal
(1999-2003),
tout particulièrement
à Bernard Lévy.*

Résumé du premier tome, *Feuille de chou*.

Née dans la voiture de Pierre Sauer, un célèbre reporter humain, une petite souris grise, nommée Cendrine Després, ambitionne de devenir journaliste. Mais comment y arriver quand on vit comme elle avec sa mère et ses frères dans le sous-sol d'une maison de campagne comptant huit chats?

Dès qu'elle atteint l'âge de se débrouiller seule, Cendrine s'installe pour de bon dans la voiture de Pierre Sauer, espérant, grâce à lui, voyager de par le vaste monde. Or, celui-ci a d'autres plans. Sa vieille mère, Gertrude Sauerkraut, est temporairement privée de son permis de conduire en raison de cataractes. Pierre loge donc chez elle pour écrire un livre et lui servir de chauffeur entre la maison et l'usine de choucroute qu'elle possède dans le village de Villechou.

Mais, comme à quelque chose malheur est bon, ces allers-retours quotidiens permettent à Cendrine de faire ses premiers pas dans le métier. Par un heureux hasard, en effet, la souricette est embauchée comme stagiaire dans un hebdomadaire à potins, *Choux Gras*. Propriété de Caldo de Savoie, le journal des souris de Villechou est imprimé sur de véritables feuilles de chou par un certain Gutenberg...

Les mots en italique suivis d'un astérisque (*) sont expliqués dans un lexique à la fin de l'histoire.

1

Le tournant

Ce matin-là, à l'aurore, Cendrine fut tirée du sommeil par une violente secousse dont l'intensité atteignit cinq sur l'échelle de Richter. Le séisme, causé par un porte-documents négligemment jeté par Pierre Sauer dans le coffre de la voiture, avait abruptement mis fin aux rêveries de la souricette, qui revoyait mentalement l'horaire chargé de sa journée de chroniqueuse mondaine à *Choux*

11

Gras, l'hebdomadaire des souris de Villechou.

Normalement, après sa réunion quotidienne avec son patron, Caldo de Savoie,
la jeune stagiaire devait faire un saut
chez Chouchou de Bruxelles, la souris
la mieux informée de Villechou. Celle-
ci, s'étant liée d'amitié avec Cendrine,
avait apparemment de nouveaux potins
à lui révéler. À onze heures précises, la
chroniqueuse devait se rendre à la mairie
pour une conférence de presse, puis couvrir un déjeuner marquant l'ouverture de
la toute première résidence pour souris
âgées de Villechou. Au milieu de l'après-
midi, les élèves de l'école de musique
l'attendaient à leur spectacle annuel. Et
pour finir, le grand Souriopelle avait
expressément exigé que « mademoiselle
Després » soit présente au vernissage de
sa nouvelle exposition. Tout le gratin de
Villechou y serait.

Bref, sous peine de mécontenter la
moitié du village, Cendrine ne pouvait
se permettre de manquer un seul événement de cette journée réglée au quart
de tour.

Qu'est-ce que Pierre pouvait bien faire
en voiture de si bon matin ? Depuis trois

mois, il n'y prenait place que vers huit heures afin de conduire sa vieille mère, Gertrude Sauerkraut, à son usine de choucroute au village. Or, Pierre était seul dans le véhicule et le soleil n'était pas encore levé.

Cendrine enfila un grand pull de laine, un béret, une écharpe et chaussa ses bottes, prête à sauter de la voiture dès qu'ils arriveraient au village. Elle serait au boulot bien en avance. Mais bon, Caldo la laisserait sûrement entrer au journal.

Pierre sifflotait gaiement au volant. Chemin faisant, Cendrine reconnaissait les maisons situées aux abords du village. À quelques mètres de celui-ci, elle se faufila comme à son habitude jusqu'au pare-chocs arrière, prête à bondir au pied du panneau d'arrêt devant les locaux de *Choux Gras*. À sa grande surprise, la voiture ne prit pas le tournant qui menait au cœur du patelin. Elle fila tout droit, s'éloignant de Villechou.

Cendrine hésita quelques instants. Devait-elle sauter du véhicule en marche et tenter de regagner l'agglomération par ses propres moyens ? C'était risqué pour ses fines pattes. Et il lui faudrait un temps fou pour s'y rendre. Sans compter que la petite souris rencontrerait sans doute plus d'un chat sur sa route.

Elle décida de retourner chez elle, dans le compartiment de la roue de secours du coffre arrière, espérant que Pierre reviendrait à la maison après sa course matinale. Rassurée à cette pensée, elle se mit à réviser les questions des entrevues du jour.

Après un moment, pourtant, un doute la gagna. Le temps passait et le bolide roulait à vive allure. «À ce rythme-là, raisonna Cendrine, impossible de revenir à l'heure au journal. Heureusement que Caldo avait prévu m'accompagner pour tous les événements de la journée!»

N'y tenant plus, Cendrine se glissa discrètement dans l'habitacle de la voiture et se percha sur le dossier de la banquette arrière, derrière le chien en plastique à tête branlante. Elle pointa un museau craintif vers le pare-brise.

Elle reconnut alors un des paysages qui avaient marqué sa petite enfance. Une grande route pavée de noir s'étirait à l'infini en ligne droite. Derrière Cendrine, mais aussi de chaque côté de l'automobile, des centaines de véhicules se suivaient, dont d'énormes camions montés sur cinq paires de roues.

Une grande excitation l'envahit. Pierre était-il finalement sorti de sa routine d'écrivain pour reprendre son vrai travail de globe-trotter? Où allaient-ils? Ce voyage serait-il long? Allait-elle enfin parcourir le monde et faire les reportages dont elle rêvait depuis toujours? Cendrine l'espérait de tout cœur.

Le paysage, d'abord composé de montagnes, de grands espaces verts et de quelques habitations, devenait de plus en plus urbain. La circulation était aussi plus dense, et les bâtiments, de plus en plus rapprochés.

Regardant à travers le pare-brise avant, elle vit poindre au loin une masse grise, faite d'une multitude de rectangles s'élevant vers le ciel. Un nuage jaunâtre flottait autour de ces formes. Était-ce là Montréal, cette gigantesque ville peuplée de chats féroces, contre laquelle sa mère l'avait mise en garde? Les imposants panneaux verts au bord de la route le confirmèrent rapidement. « Montréal 10 km », disait l'un d'eux.

La route, couronnée d'une très haute structure de métal, s'allongea bientôt dans les airs. En baissant les yeux, Cendrine aperçut la plus grosse rivière qu'il lui eut été donné de voir. Le panorama était grandiose. Le large ruban d'eau était parsemé de bateaux. Au loin, quelques îles en émergeaient. Sur l'autre rive, les contours de la métropole se précisaient.

Après avoir franchi un entrelacs d'avenues surélevées, Pierre et sa passagère clandestine arrivèrent dans une rue bordée d'édifices dont les sommets se perdaient dans les nuages. Ils s'engouffrèrent à l'intérieur de l'un d'eux par une grande ouverture qui descendait dans un couloir sombre sous le niveau de la rue. Cendrine eut tout juste le temps de lire l'affiche de l'entrée, qui disait : « LE QUOTIDIEN – STATIONNEMENT ».

Un préposé dans une guérite accueillit Pierre avec un large sourire.

— Ça fait un bail qu'on ne vous a pas vu, monsieur Sauer ! Étiez-vous en reportage à l'autre bout du monde ?

— Non, non, je suis en congé sabbatique pour rédiger un livre scientifique.

La science, ça m'a toujours passionné, mais avec ce métier de fou, pas moyen de prendre du recul pour écrire quelque chose d'intelligent !

— Oh, vous savez, moi, la science… Mais alors, qu'est-ce qui vous amène ici ?

— Des bricoles à régler concernant mon absence, et puis le patron veut me voir pour préparer une série de reportages à l'étranger en prévision de mon retour au printemps. Où dois-je stationner ma voiture ? J'en ai pour toute la journée.

— Descendez au troisième sous-sol, le reste est complet. Si vous quittez avant le début de la soirée, ce sera gratuit.

— Merci, c'est parfait. Je devrais repartir vers dix-sept heures. À la prochaine !

Toujours dissimulée derrière le chien à tête branlante, Cendrine avait tout entendu. Les oreilles dressées et une mèche rebelle retombant sur son œil, elle était contrariée de devoir manquer une journée de travail sans pouvoir joindre monsieur de Savoie. Malgré cela, la perspective de suivre Pierre en reportage dans quelques mois la remplissait de joie.

La voiture de Pierre avançait lentement entre les rangées de véhicules collés les uns aux autres et descendait vers les étages inférieurs par un étroit passage en colimaçon. Au troisième sous-sol, Pierre se gara dans un espace libre tout au fond du stationnement. Il sortit de voiture, pendant que Cendrine se déplaçait autour du chien pour se soustraire à son regard. Après avoir bien verrouillé toutes les portières, Pierre ouvrit le coffre pour y prendre son porte-documents. Il se dirigea vers un panneau lumineux affichant le mot SORTIE et disparut derrière une porte marquée P3.

«Mais qu'est-ce que je vais faire de mes quatre pattes dans ce trou noir qui pue l'essence?» s'interrogea Cendrine. Après quelques minutes de réflexion, elle conclut qu'il ne lui restait plus qu'à explorer l'étage.

Elle se faufila prudemment hors de l'habitacle, humant l'air vicié. Heureusement, aucune odeur de chat ne lui parvenait à travers les effluves de mazout. «C'est toujours ça de pris. Je ne risque pas de me faire dévorer ici», pensa-t-elle.

La petite futée nota mentalement le numéro de l'emplacement de sa maison mobile – le 375 – et commença son exploration en longeant le mur. À part des automobiles, des flaques d'huile à moteur, des colonnes et un plancher de ciment froid, il n'y avait strictement rien à voir dans la section impaire du stationnement. Elle décida donc de remonter vers la surface, en empruntant la passerelle en colimaçon à l'autre extrémité du garage.

Par deux fois, elle dut s'aplatir contre la paroi pour céder le passage à des fourgonnettes qui prenaient tout l'espace disponible. À mesure qu'elle progressait dans son ascension, ses narines sensibles distinguaient de désagréables senteurs de plus en plus fortes. Près de la sortie du stationnement, un puissant fumet d'urine de chat la saisit à la gorge, comme si des centaines de félins y avaient marqué leur territoire en même temps. Cette cloison malodorante la fit reculer.

« Impossible d'aller plus loin », comprit-elle. Des sueurs froides lui glaçaient le dos sous ses poils hérissés. « Il doit y avoir des milliers de matous dans cette ville ! »

Elle battit en retraite vers les soussols. Longeant à nouveau les murs, elle décida d'examiner le côté pair du niveau 300. «Il doit bien y avoir une ouverture vers un autre édifice plus intéressant», supposa-t-elle. Le museau collé au sol, elle retourna avec prudence vers son point de départ. Pas le moindre son de moteur, ni bruit de pas. Pourtant, son instinct lui signalait un danger.

«Bah, c'est sûrement la présence des chats là-haut qui m'a rendue craintive, se gronda-t-elle en poursuivant son chemin. Tiens, si j'essayais de suivre la trace de Pierre?»

Regardant fixement la porte P3, elle ne remarqua pas le soupirail devant lequel elle venait tout juste de s'arrêter. Tournant le dos à cette ouverture obscure au pied du muret, Cendrine hésitait. Devait-elle continuer à longer le mur jusqu'à la porte ou foncer tout droit devant elle?

«Ce sera plus rapide si j'y vais directement», jugea-t-elle.

Les moustaches en alerte, elle regarda à droite et à gauche avant de s'engager à découvert dans le grand espace. Personne en vue. La souricette prenait son élan, lorsqu'elle entendit l'écho discret d'un froissement de papier. Elle se figea

sur place. Un courant d'air lui effleura la nuque. Puis une poigne de fer lui saisit le bout de la queue et la tira violemment vers l'arrière.

2

Un monde
souterrain

En faisant sa ronde quotidienne, l'odorat hypersensible du capitaine Hercule Mulot l'avait guidé vers les souterrains de niveau moins trois du secteur Place d'Armes. Il aperçut une ombre qui passait rapidement devant l'entrée d'un soupirail menant en territoire ennemi. Il avait cru distinguer un profil familier avec une tête dotée d'oreilles pointues et d'un museau allongé, piqué de longues moustaches. Mais il n'en aurait pas mis sa patte au feu. De mémoire, aucune souris de Souréal ne s'était aventurée en zone interdite depuis la fondation de la cité souterraine.

Le capitaine Mulot s'était prudemment approché de la grille, demeurant en retrait pour examiner le propriétaire de la silhouette furtive. Vêtu d'un uniforme vert foncé à boutons dorés et d'un casque arrondi sur lequel brillait son écusson de capitaine, il se tenait bien droit sur ses deux pattes arrière. Tapi dans l'obscurité, il attendit pendant d'interminables minutes.

« Bon, se dit le capitaine, j'ai dû rêver. »

Mais ses sens ne l'avaient pas trompé. Sur le point de partir, il vit soudain une vraie petite souris. C'était la première fois qu'un tel événement venait rompre la monotonie des journées du capitaine.

Il n'osa pas se lancer à la poursuite de la fugitive, craignant d'enfreindre le règlement en s'aventurant en territoire interdit. Il feuilleta rapidement son code pour y trouver des instructions précises.

« En cas de force majeure, AGIR », disait simplement le livre.

Sans hésiter une seconde de plus, il allongea une patte hors du soupirail et agrippa la souricette par la queue. Il la tira de toutes ses forces vers l'intérieur du tunnel.

La petite souris se débattit comme une démone, mais elle fut rapidement maîtrisée par le capitaine, qui faisait deux fois sa taille.

— Infraction de deuxième niveau du Règlement numéro un, lui déclara le capitaine d'une voix sévère, en lui passant les menottes. Ça va te coûter très, très cher, ma petite.

— Mais qu'ai-je fait, monsieur? lui demanda Cendrine, impressionnée par les menottes, la haute stature et le tour de taille imposant de la souris en uniforme.

— D'abord, appelle-moi CAPITAINE! ordonna-t-il d'un ton fâché. Ne vois-tu pas mes galons?

— Pardonnez-moi, euh… capitaine.

— Capitaine Hercule Mulot, officier supérieur de la quatrième division de surveillance de la SECSOU, dit-il au garde-à-vous.

— De la quoi?

— La SECSOU, la Sécurité souter-raine. Nom, matricule et adresse, lui demanda-t-il.

— Je m'appelle Cendrine. J'ignore ce qu'est un matricule. Je vis dans l'au-tomobile d'un humain qui habite près du village de Villechou.

— Pas de matricule? Pas de domicile fixe? Ton compte est bon! Et où se trouve «Vichou»? Ça ne figure pas sur la liste des secteurs de Souréal.

— Vil-le-chou, épela Cendrine. C'est à environ deux heures de route d'ici. C'est la première fois que je mets les pattes à... à... Souréal, comme vous dites.

— Cela ne te donne pas le droit d'en-freindre le règlement pour autant. Je dois t'emmener au poste pour un inter-rogatoire en règle.

— Attendez, vous pourriez au moins m'expliquer ce que j'ai fait de mal! insista Cendrine.

— Si tu y tiens, j'ai justement mon code avec moi. Voici ce que dit le Règle-ment numéro un:

Il est strictement interdit à toute souris domiciliée à SOURÉAL de chercher à atteindre la surface de l'ÎLE DE MONT-RÉAL sous peine de se voir imposer une sanction s'échelonnant de la détention temporaire à la peine de mort, selon la gravité des offenses décrites ci-après :

i) *Toute souris exprimant publiquement son désir d'aller à la surface sera détenue pendant une période indéterminée, durant laquelle elle sera soumise à une thérapie. Elle ne sera remise en liberté que lorsque les autorités médicales et légales jugeront qu'elle ne représente plus une menace pour ses semblables.*

ii) *Toute souris interceptée au-delà du niveau moins deux sera emprisonnée à vie, considérant qu'elle a, par sa désobéissance, mis en danger la vie de toutes ses concitoyennes.*

iii) *Toute souris qui foulera le sol à la surface ne sera plus jamais réadmise à SOURÉAL, en supposant, bien sûr, qu'elle ait, par miracle, survécu à la férocité des chats de MONTRÉAL.*

27

Cendrine resta un moment abasourdie par la sévérité du règlement. Mais pourquoi le simple fait de vouloir sortir à la surface, au péril de sa propre vie, vu la quantité de chats qui semblaient y vivre, représentait-il une menace pour les autres souris ? Téméraire, elle en demanda l'explication au capitaine.

— Mais c'est la première chose que toute souris digne de ce nom apprend à l'école, s'étonna le capitaine. Tu n'es manifestement pas d'ici.

— Je vous le répète. Je ne suis pas de Souréal, je viens de Villechou. Votre règlement ne devrait donc pas s'appliquer à moi, hasarda-t-elle.

Le capitaine réfléchit un moment.

— Je dois admettre que tu as raison, reconnut-il en lui retirant ses menottes. Le règlement parle bien de souris domiciliées à Souréal. Je crois que tu peux retourner là où tu vis, mais ne te fais surtout pas voir des humains !

— Oh, croyez-moi, je suis extrêmement prudente. Comment aurais-je survécu autrement, moi qui côtoie l'un d'eux d'aussi près ?

Cendrine frottait ses pattes de soulagement. Elle fit un pas en direction de la voiture de Pierre, mais se ravisa, songeant aux longues heures qu'elle aurait à tuer jusqu'au retour de ce dernier. Sa curiosité de journaliste venait de refaire surface.

— Dites-moi, capitaine, est-ce que Souréal est bien loin d'ici? Je pourrais peut-être profiter de mon passage pour faire un reportage. Je suis journaliste, vous savez.

Elle tendit sa carte de visite au capitaine.

Choux Gras	
le journal des souris de Villechou	*Cendrine Després,* **journaliste**

— Eh bien, ça alors! Un de mes cousins travaille pour un journal à Souréal! Je pourrais te le présenter si ça t'intéresse.

L'idée de rencontrer quelqu'un œuvrant pour une autre publication enchanta Cendrine.

— Et comment, que ça m'intéresse! Je n'ai jamais lu d'autres journaux que

Choux Gras. Cela ne vous embête pas de m'emmener avec vous ?

— Au contraire, ça va mettre un peu d'imprévu dans ma routine. Allez, suis-moi !

Finalement, il était assez sympathique, ce capitaine. Sous des dehors autoritaires, il cachait une nature plutôt joyeuse. Il était surtout très volubile. Chemin faisant, Cendrine apprit toute l'histoire de Souréal.

Il y avait de cela plusieurs années, les souris de l'île de Montréal vivaient comme toutes les souris grises du monde. C'est-à-dire à la dure. Elles étaient toujours aux aguets pour échapper aux pièges des hommes et aux crocs de leurs chats. Elles nichaient dans leurs entrepôts, leurs demeures ou leurs véhicules. Elles se nourrissaient de ce que les deux-pattes mettaient à leur disposition, aliments, colle, parfois même du savon. Elles se reproduisaient à un rythme fou pour assurer l'avenir de l'espèce. Malgré cela, leur population diminuait dan-

gereusement. Très peu de souriceaux
dépassaient l'âge d'un an dans les maisons, qui comptaient presque toutes au
moins un chat. La vie des souris grises
était si courte, en fait, qu'elles ne trans-
mettaient à leurs petits que des connais-
sances rudimentaires leur permettant
tout juste de survivre.

— N'est-ce pas le sort habituel des
souris ? remarqua Cendrine.

— Peut-être dans l'ancien temps,
concéda le capitaine. Heureusement, nous
ne vivons pas comme cela à Souréal !

— Ah non ? Comment vivez-vous
alors ?

— Depuis une dizaine de générations,
toutes les souris de l'île de Montréal
vivent dans une grande cité souterraine
calquée sur celle des humains. Il n'en
reste plus une seule à la surface de l'île.
Les Montréalais croient qu'ils se sont
définitivement débarrassés de nous. Pour
notre survie, il est extrêmement important qu'ils continuent à le croire. Il ne
faut surtout pas qu'ils découvrent comment nous avons réussi à détourner une
partie de leur énergie, de leur eau, de leur
nourriture, de leurs systèmes de commu-
nication et de leurs moyens de transport

à notre profit. C'est pour ça que le règlement est si sévère !

— Je comprends maintenant, opina Cendrine.

— La cité a tellement prospéré qu'elle compte maintenant près de dix millions de souris.

— Dix millions ! s'exclama Cendrine, incrédule. En comptant les habitants des fermes voisines de Villechou, la population du village s'élève tout juste à quelques centaines de souris. Comment en êtes-vous arrivés là ?

— Nos livres d'histoire racontent que les fondateurs de Souréal habitaient auparavant dans la grande Université de la Montagne. Tout comme les rats de bibliothèque, ces souris d'université étaient apparemment très instruites. À force d'écouter les professeurs humains, cachées dans les murs des salles de classe, elles avaient appris beaucoup de choses. Ce serait les souris logeant dans les pavillons de génie, d'urbanisme et d'architecture de l'université qui auraient dessiné les plans de Souréal. Et ce serait celles des pavillons des sciences humaines qui en auraient établi le mode de fonctionnement. Puis toutes les souris de maison de Montréal auraient émigré à Souréal pour bâtir et peupler la cité telle que nous la connaissons aujourd'hui. Mais ça, c'est la version officielle...

— Pourquoi dites-vous cela?

— Le dirigeant de la communauté de Souréal, Augehym Ier, s'en est toujours défendu, mais toutes les souris sont convaincues qu'il est un être surnaturel. La cité est bien trop extraordinaire pour n'avoir été construite que par de simples rongeurs! Toutes sortes de légendes circulent à propos des origines de Souréal. Mais la majorité des Souréalais croient qu'Augehym Ier l'aurait créé de toutes pièces grâce à ses pouvoirs magiques. De leur côté, les sceptiques sont persuadés que la ville n'est en fait qu'un immense laboratoire construit par les hommes pour étudier le comportement des souris en société. Chose certaine, Augehym Ier est le seul qui pourrait confirmer ces rumeurs, car il dirige Souréal depuis sa fondation, il y a plus de vingt ans.

«Incroyable, réfléchit Cendrine, aucune souris ne peut vivre aussi longtemps! Cette histoire mériterait certainement une enquête.»

— Personne n'a jamais cherché à connaître la vérité là-dessus au journal de votre cousin ? demanda-t-elle.

— À ma connaissance, non. Aucun Souréalais digne de ce nom n'oserait contredire ouvertement la version officielle d'Augehym Ier. Nous le vénérons tous. Grâce à lui, nous vivons heureux et n'avons jamais manqué de rien.

— J'ai bien hâte de voir la tête de ce fameux Augehym Ier, murmura Cendrine, intriguée.

— Ça ne devrait pas tarder. On trouve des peintures et des sculptures à son image dans tous les secteurs de la ville souterraine.

Après un long trajet dans un enchevêtrement de couloirs ténébreux, dont le capitaine semblait connaître le moindre recoin, ils quittèrent la zone tampon entre le monde des hommes et celui des souris. Ils franchirent une grille et descendirent de nombreuses marches à pic qui les séparaient d'un portail cadenassé.

Le capitaine sortit un énorme trousseau de clés de sa poche et déverrouilla la porte. Ils s'engagèrent dans un nouvel escalier en spirale, qui offrait une vue plongeante sur une vaste galerie souterraine. En regardant vers le haut, Cendrine dut se protéger les yeux. Au plafond, un énorme projecteur pointé vers la galerie faisait office de soleil. Sur les quatre côtés d'une grande place rectangulaire, les parois de la galerie étaient percées de fenêtres d'égale grosseur sur dix étages. Droit devant, des centaines de souris montaient aux étages supérieurs ou en descendaient grâce à un escalier en colimaçon pareil à celui où elle se trouvait.

Tout en bas, pas plus grosses que des fourmis, des milliers de souris s'affairaient sur la grande place. De jeunes souriceaux jouaient dans un parc d'amusement. Des souris adultes discutaient, assises en petits groupes. D'autres traversaient la place d'un pas rapide. Certaines se tenaient immobiles sur deux longs tapis roulants au niveau du sol. Sur le premier, les souris se déplaçaient vers la gauche, entre deux tunnels creusés à la base des murs. Sur le deuxième,

situé de l'autre côté de la place centrale, elles avançaient en sens inverse. Cendrine n'avait jamais vu pareille animation.

— Mais c'est une véritable fourmilière !

— Ce n'est qu'une toute petite communauté, pourtant, protesta le capitaine. Il n'y a que trois mille souris dans ce secteur. Attends de voir le centre-ville de Souréal !

Toutes les souris qu'ils croisaient dans l'escalier saluaient le capitaine Mulot avec déférence. Comme devait l'apprendre Cendrine beaucoup plus tard, Hercule Mulot avait été un détective très célèbre, avant de terminer sa carrière dans un poste de patrouilleur.

Au niveau de la place, le capitaine et sa compagne se frayèrent un passage à travers une foule bigarrée d'où émergeait un bourdonnement joyeux. Au milieu du parc, Cendrine vit une sculpture géante représentant une souris blanche à très grosse tête, vêtue d'une longue tunique. « C'est sûrement Augehym Ier », spécula-t-elle.

La souricette remarqua ensuite que chaque ouverture du rez-de-chaussée était surmontée d'un écriteau : « Docteur Sourire – Limeur de dents », « Toison d'argent – Salon de lissage », « Patticure Griffe D'or », « Soignant Nature-aux-pattes », « La souris de bibliothèque – Libraire ».

— Chaque secteur est organisé de la même façon, lui expliqua le capitaine. Les commerces et les services locaux sont répartis autour d'une grande place. Les habitations sont situées au-dessus, sur neuf étages.

Cendrine n'eut pas le temps de s'émerveiller davantage. Le capitaine la fit monter sur le tapis roulant qui se dirigeait vers l'un des deux tunnels.

— Suis-moi. Nous devons prendre le métro pour nous rendre au journal où travaille mon cousin.

3

L'Écho-Souris de Souréal

Déstabilisée par le mouvement continu du tapis, Cendrine s'accrochait au capitaine Mulot. Elle regardait partout autour d'elle, remarquant comment, rendues à leur destination, les souris sautaient sur le pavé. Il leur fallait toujours quelques secondes pour reprendre leur équilibre.

Se tournant vers l'avant, elle remarqua soudain que le tapis roulant allait bientôt disparaître sous une plaque métallique. Prise de panique, elle s'agrippa de plus belle au capitaine. Comprenant sa peur, il la rassura d'un ton paternel :

— À trois, on saute !

Au compte, les deux souris s'élancèrent dans les airs, patte dans la patte.

— Pas de casse ? demanda Hercule d'un ton amusé.

— Non, ça va, j'imagine qu'on s'habitue après quelques essais.

— Nous voici devant l'entrée de la station de métro. Nous devons faire vite pour monter à bord du wagon. Il ne reste en gare que trente secondes !

En se servant du réseau de transport souterrain des Montréalais, les souris avaient trouvé une façon ingénieuse et rapide de se déplacer. Elles pouvaient y monter en empruntant une des passerelles rétractables qui sortaient du sol entre les rails, dès l'arrivée d'une rame. Les souris pouvaient alors atteindre un espace étroit situé entre le bogie et le châssis du train. Aucun deuxpattes n'ayant jamais découvert la ruse, les souris avaient pu étendre la cité de Souréal aussi loin que le métro allait.

Une correspondance et cinq stations plus tard, Cendrine et le capitaine descendirent à la station Université de la Montagne.

— Nous y sommes. C'est le centre névralgique de la cité de Souréal. Là où tout a commencé.

Contrairement au secteur de la place d'Armes, le centre-ville était traversé de rues pleines d'immeubles façonnés à même le roc. Au lieu de creuser une profonde galerie sous le mont Royal et de bâtir ensuite les édifices, expliqua le capitaine à Cendrine, les architectes de Souréal avaient eu l'idée de dégager d'abord une sorte de ciel de deux mètres de hauteur. Par la suite, les ouvriers avaient creusé de larges tranchées en damiers pour former les rues. Finalement, ils avaient transformé les blocs de terre et de roc entre les avenues en bâtiments publics et en tours d'habitations.

Le résultat était grandiose, constatait Cendrine. Tirant habilement parti de la composition des différentes couches géologiques, les constructeurs avaient sculpté des chefs-d'œuvre représentant tous les grands styles architecturaux.

De grands espaces verts et luxuriants complétaient l'aménagement du centre-ville, baigné par la lumière de quatre soleils électriques.

Sur une grande bâtisse d'allure moderne, Cendrine remarqua une affiche où l'on pouvait lire *L'Écho-Souris de Souréal* en grosses lettres rouges.

— Voilà, Cendrine, nous y sommes. Viens que je te présente mon cousin, Éric Trotteur. Il est directeur de l'information au journal.

À l'exception d'Éric, il n'y avait personne dans la grande salle de rédaction. On y voyait pourtant une vingtaine de tables de travail, collées les unes aux autres, où régnait un fouillis indescriptible de papiers. Chaque pupitre comptait un téléphone et un écran d'ordinateur, format souris, pareils à ceux que Cendrine avait déjà vus par la fenêtre de la pièce où Pierre travaillait.

— Bonjour, Hercule, lui lança Éric en l'apercevant. Qu'est-ce qui me vaut l'honneur de ta visite? As-tu un incident à me rapporter?

— Pas vraiment, cousin. Je t'amène plutôt de la visite: une journaliste du monde du dessus! Je te présente Cendrine. Elle avait très hâte de te rencontrer.

— À part deux ou trois contingents d'immigrants qui nous arrivent chaque année, il est extrêmement rare que nous ayons de la visite de l'extérieur! Vous ne vivez tout de même pas sur l'île de Montréal, j'espère?

— Non, je viens de la campagne, près d'un village nommé Villechou. Je suis venue sur votre île en me cachant dans la voiture d'un humain. C'est votre cousin qui m'a conduite jusqu'ici, depuis un stationnement souterrain.

— Tout s'explique! Alors, comme ça, vous êtes journaliste?

— Ou...i, chuchota Cendrine timidement. Depuis quelques mois, je travaille pour un journal qui s'appelle *Choux Gras*.

— Jamais entendu parler. A-t-il un gros tirage?

— Oh oui! Deux cents feuilles sont imprimées chaque semaine! affirma-t-elle fièrement.

— Deux cents copies, vous plaisantez! Ici, on en tire cent mille par jour! répliqua-t-il d'un ton supérieur. Il lui tendit un exemplaire du numéro de la veille.

Cendrine prit le journal entre ses pattes et s'étonna de son épaisseur. Elle le feuilleta rapidement, vraiment impressionnée. Il comptait une quarantaine de pages imprimées des deux côtés. Et il y avait même des photos en couleurs !

— C'est incroyable ! s'exclama-t-elle. Je n'ai jamais vu un quotidien comme celui-là chez les souris. Ça doit prendre un temps fou à imprimer !

— Au contraire, répondit Éric. Il faut à peine quelques heures pour produire

les cent mille copies. Ça vous dirait de visiter notre nouvelle imprimerie juste à côté? J'ai une vingtaine de minutes de libres avant de commencer ma journée. Pour le moment, notre équipe de journalistes n'est pas encore arrivée.

Éric les conduisit vers une porte à l'arrière de la salle de rédaction. Ils entrèrent dans une immense pièce où l'on pouvait voir une énorme structure en métal comptant deux plateformes superposées, entourées de clôtures. On aurait dit un paquebot. Au niveau du sol, on voyait d'énormes rouleaux blancs.

— C'est un modèle réduit d'une presse Heidelberg, expliqua Éric aux deux visiteurs. Une merveille de technologie empruntée aux humains! Mais avant de vous parler de son fonctionnement, laissez-moi vous montrer comment on crée les plaques d'impression.

Éric leur raconta que chacune des pages du journal était d'abord montée par un graphiste sur son ordinateur. Elle était ensuite gravée au laser sur une plaque de métal, en quatre exemplaires.

— Mais la plaque est illisible, remarqua Cendrine.

— Évidemment, elle est gravée à l'envers, comme une image en miroir.

Éric les conduisit ensuite tout près de l'énorme presse.

— Vous voyez ce rouleau ? C'est là-dessus qu'on fixe les plaques. En tournant, elles viennent se frotter contre les rouleaux encreurs de ce côté et, de l'autre, sur le ruban continu de papier.

L'impressionnante machine, qui comptait quatre colonnes d'impression, était en pleine activité. Cendrine et Hercule pouvaient à peine apercevoir des taches de couleur sur les lisières de papier qui défilaient à toute vitesse.

— Le papier circule dans la presse à quarante-cinq kilomètres à l'heure, continua Éric. Cette presse peut produire quatre-vingt mille feuillets, imprimés des deux côtés à la fois, en soixante minutes.

Tout en prenant des notes pour son article, Cendrine essayait de comparer mentalement cette méthode d'impression à celle de son collègue à Villechou. Quelle différence entre les deux !

— Il faut que je raconte ça à Gutenberg le mille-pattes, lança Cendrine, qui se mit à décrire comment ce dernier s'y prenait pour imprimer *Choux Gras*. Elle expliqua à ses deux nouveaux amis que chacune des pattes de Gutenberg était chaussée d'une bottine portant un caractère d'imprimerie différent. Avec force gestes, elle décrivit l'exercice de contorsion auquel le myriapode devait se livrer pour reproduire le même texte sur deux cents feuilles de chou blanc bien lisses.

— Au lieu de s'épuiser à imprimer un par un les caractères sur chaque copie du journal, il pourrait composer ses textes en alignant ses bottines à l'envers sur la table, imagina-t-elle tout haut. Il n'aurait plus qu'à les badigeonner d'encre et à y presser les feuilles de chou.

— C'est pourtant la méthode utilisée par le vrai Johannes Gutenberg*, l'inventeur de l'imprimerie moderne, enchaîna Éric. Ce n'est pas « Gutenberg », mais « Dactylo » qu'il aurait dû s'appeler, ton ami !

Ne sachant trop si elle devait rire de cette remarque, Cendrine souligna que la rapidité de Gutenberg était très célèbre à Villechou.

— Je n'en doute pas, bredouilla Éric, un peu embarrassé, en baissant les yeux sur sa montre. Mais j'ai bien peur de devoir mettre fin à notre visite. C'est bientôt l'heure de notre réunion de planification. Je dois lire les communiqués de presse et passer quelques coups de fil auparavant.

Ils retournèrent dans la salle de rédaction, où dix journalistes discutaient déjà autour d'une machine qui crachait continuellement des feuilles imprimées.

— Je vous remercie beaucoup pour la visite, monsieur Trotteur, dit Cendrine en lui serrant la patte. C'était vraiment très instructif. Est-ce que je peux garder quelques exemplaires de votre quotidien?

— Bien sûr, vous pouvez prendre toutes les éditions de la semaine si vous voulez. Si jamais vous repassez dans le coin, pensez à m'apporter quelques échantillons de votre hebdomadaire. J'aimerais bien voir comment vous rédigez. Nous sommes toujours à la recherche de nouveaux talents ici.

— Ce que j'écris n'a pas grand-chose à voir avec les articles qui paraissent dans votre journal, s'excusa Cendrine, un peu gênée. Jusqu'à présent, j'ai surtout fait des chroniques mondaines.

— On prend de l'expérience où l'on peut. Vous savez, plusieurs de nos meilleurs journalistes ont commencé leur carrière aux fourmis écrasées. J'y pense, ça amuserait sûrement nos lecteurs d'apprendre comment se fabrique un journal à la campagne. Vous pourriez peut-être me préparer un petit texte là-dessus ?

— Je vais y réfléchir, mais je ne sais pas trop si j'aurai un jour l'occasion de revenir à Souréal.

— Pensez-y tout de même. Avec la technologie d'aujourd'hui, vous n'auriez même pas à passer au journal !

Cendrine sortit du bâtiment plutôt perplexe. Comment pourrait-elle remettre un article à Éric Trotteur sans se rendre au journal ?

Hercule lui offrit de poursuivre la visite de Souréal par un goûter.

— C'est l'heure de ma pause. Tu n'aurais pas un petit creux ?

— Ce n'est pas de refus ! Mais de quoi se nourrit-on ici ?

— As-tu jamais mangé des pissenlits frais par la racine ?

— Non, quelle drôle d'idée !

— Tu verras, c'est délicieux ! Je t'invite au restaurant Sous la Côte-des-Neiges. C'est le meilleur restaurant de l'heure.

À la sortie du soupirail, Cendrine fit ses adieux à son guide.

— Merci pour tout, capitaine Mulot. Je garderai un excellent souvenir de ma visite à Souréal. J'espère y revenir bientôt, si Pierre le veut. Il me reste tellement de choses à découvrir !

— Si jamais tu reviens dans le secteur, je serai heureux de te recevoir. Je suis toujours dans les parages. Tu n'auras qu'à crier mon nom dans le couloir. L'écho de ta voix saura bien me rejoindre !

— Au revoir alors, lui dit Cendrine.

Elle s'en fut en trottinant le long du mur jusqu'à la voiture de Pierre.

Il était temps ! Celui-ci arrivait justement à l'autre bout du garage.

Le voyage de retour vers Villechou parut très court à Cendrine. Quelle journée fabuleuse elle avait vécue ! Il lui tardait de raconter tout cela dans une série d'articles qu'elle espérait soumettre à Caldo. Elle avait hâte de le retrouver pour lui proposer son idée. Les Villechoutois n'en reviendraient pas de savoir qu'un tel endroit pouvait exister !

Mais avant d'écrire, elle voulait lire toute la pile de journaux qu'elle avait ramenée. Elle y passa le trajet vers Villechou, la soirée, puis la nuit entière. Il y avait tant de choses extraordinaires à lire !

Au petit matin, elle finit par s'endormir, épuisée mais ravie, sous une montagne de feuilles éparses.

Retour à Villechou

— **M**ais où étais-tu passée? lui demanda Caldo d'une voix chargée de reproches. J'ai dû me rendre seul aux événements que tu devais couvrir hier! Et après, je n'ai pas dormi de la nuit tellement j'étais inquiet!

— Je suis vraiment désolée, patron, mais c'était la première fois que Pierre partait aussi tôt. Il ne s'est pas arrêté au village et a filé tout droit vers la grande ville. Je n'avais aucun moyen de vous prévenir !

— Je croyais qu'il t'était arrivé malheur, continua Caldo, toujours aussi fâché.

— Au contraire, j'ai vécu des choses extraordinaires. Je me suis retrouvée à Souréal, une cité de souris qui vivent dans les souterrains d'une immense ville humaine. Je ne sais pas si vous pouvez vous imaginer ça, mais il y a dix millions d'habitants là-bas ! Le centre de la ville est situé sous une grande montagne. Les habitations des souris sont creusées dans des parois rocheuses, autour d'une grande place. Elles voyagent en tapis roulant et en métro. Elles ont l'électricité, l'eau courante et de la nourriture à volonté. Elles vivent en paix, jamais menacées par les chats ni par les humains. C'est le paradis !

Cendrine avait débité tout cela d'un trait à Caldo, ne lui laissant pas le temps de réagir. Au comble de l'excitation, elle sortit son trésor.

— Regardez, ils ont même un gros journal publié tous les jours ! s'exclama-t-elle.

Caldo prit la masse de feuilles qu'elle lui tendait. Pendant plusieurs secondes, qui parurent interminables à Cendrine, il resta immobile, complètement sidéré. Le nom du quotidien, *L'Écho-Souris de Souréal*, inscrit en lettres rouges, semblait l'avoir hypnotisé.

Le sommaire à gauche énumérait les sections du journal : Actualités, Échos du monde du dessus, Société, Culture, Politique, Sports, sans oublier Annonces classées et Chronique mondaine. Le gros titre du jour, «**Augehym Iᵉʳ accueille un nouveau groupe de réfugiés**», surmontait une image d'un incroyable réalisme où l'on pouvait voir une douzaine de petits rongeurs émaciés entourant une étrange souris albinos au crâne démesuré.

Caldo déplia soigneusement le premier cahier et commença sa lecture. «*Un groupe de réfugiés ayant fui la Barbarie, un des nombreux pays qui traitent encore les souris de laboratoire de manière inhumaine, est arrivé hier à Souréal. Par miracle, les infortunés cobayes se sont échappés d'un centre de recherche, dissimulés dans les multiples emballages d'une caisse contenant un organe destiné à une transplantation*», lut-il à voix haute avant de poursuivre en silence.

— Il faut que je montre ça à Gutenberg, articula Caldo en levant finalement les yeux vers Cendrine. Il va en perdre ses bottines! Pourrais-tu aller le chercher dans son atelier, s'il te plaît? Il est en train de nettoyer ses semelles pour le travail de demain.

Cendrine quitta le bureau, inquiétée par la réaction de son patron. Pourquoi ne s'était-il pas extasié à la vue de cette merveille? N'était-ce pas tout simplement extraordinaire? Pourquoi semblait-il en état de choc?

Peut-être que monsieur de Savoie se sent un peu dépassé, supposa Cendrine. Ne lui avait-il pas confié un jour n'être jamais sorti des environs de Villechou?

«C'est le plus bel endroit du monde! Pourquoi irais-je voir ailleurs?» se plaisait-il à répéter.

Gutenberg entra dans le bureau de Caldo.

— Tu m'as fait demander? Y a-t-il un pépin avec la prochaine édition? Cendrine n'aura pas d'articles pour demain à cause de son absence d'hier, c'est ça, hein?

— Tu n'y es pas du tout! Regarde plutôt ce que notre stagiaire nous a rapporté.

Gutenberg grimpa à la verticale sur le rebord du bureau, jusqu'à ce que ses lunettes rouges et ses douze paires de pattes supérieures dépassent de sa surface. Caldo tourna alors le journal vers Gutenberg de façon à ce qu'il puisse le lire à l'endroit.

Gutenberg le regarda une fois rapidement de haut en bas. Il ôta ensuite ses verres pour s'assurer que ce qu'il voyait devant lui était bel et bien réel. La vision était la même, quoique les lettres fussent maintenant très embrouillées. Il remit ses montures et commença à tourner les pages, étalant le journal sur presque toute la superficie de la table de travail. À chaque nouvelle page, ses anneaux tressaillaient et ses pattes frétillaient, se détachant de la paroi du meuble et s'y recollant.

— Ce journal doit disposer d'une véritable armée de mille-pattes pour produire autant de pages! s'écria le myriapode, estomaqué. Ils n'utilisent pas de feuilles de chou, ajouta-t-il, en caressant

le papier entre deux pattes déchaussées. C'est tout mince, sec, parfaitement lisse et blanc. Et comment font-ils pour les photos?

Cendrine lui expliqua ce qu'elle avait vu dans la salle d'imprimerie. Comment une seule souris arrivait à faire tout le travail d'impression grâce à une énorme machine fonctionnant avec des rouleaux et des encres de couleur. Les anneaux du corps de Gutenberg se figeaient un à un alors que Cendrine décrivait la technique d'impression du quotidien.

— Mon vieux Caldo, nous sommes totalement dépassés! se plaignit Gutenberg. S'il fallait que quelqu'un au village apprenne tout ça, je ne donnerais pas cher de *Choux Gras*!

Autant Gutenberg était impressionné par la technique d'impression et le support du journal, autant Caldo, lui, l'était par son contenu. Était-ce possible qu'une cité telle que Souréal et un pays comme la Barbarie existent? Il avait bien entendu des rumeurs sans trop y prêter attention, mais cette fois, les preuves étaient irréfutables: Villechou n'était pas le nombril du monde!

— Monsieur de Savoie, j'aimerais faire un article sur ce que j'ai vu dans la grande ville pour l'édition de dimanche, proposa Cendrine.

Caldo hésita un long moment avant de parler.

— Ce qui se passe en dehors des limites de Villechou n'intéresse pas les lecteurs de *Choux Gras*, déclara-t-il avec autorité.

— Même pas un tout petit article? plaida Cendrine. Je vous promets de ne pas parler du journal, ajouta-t-elle, espérant un appui de la part de Gutenberg.

Celui-ci garda le silence, aussi imperturbable que son ami.

— Non, rétorqua-t-il, intraitable. Les souris de Villechou veulent uniquement savoir ce qui se passe chez elles. Il n'y a pas de place dans *Choux Gras* pour les nouvelles des autres. De toute façon, nous en avons déjà plus que nous pouvons en publier.

Cendrine n'en revenait pas. Quelle importance pouvaient avoir les événements mondains de Villechou à côté de ce qu'elle avait découvert pendant son merveilleux périple?

— Je ne peux pas croire que ça n'intéresse personne, osa-t-elle répliquer.

— C'est MON journal, alors c'est moi qui décide. Ou tu continues comme avant, ou...

— Ou quoi? questionna Cendrine.

— Ou... tu laisses ta place.

— C'est vous le patron, laissa-t-elle tomber, ravalant sa déception et ses larmes.

Pendant les quelques jours qui suivirent cet incident, Cendrine s'efforça de courir les événements de Villechou comme avant, mais elle n'avait plus le cœur à l'ouvrage. Sa décision était prise. Elle allait quitter Caldo de Savoie, *Choux Gras*, Villechou et tous ses choux, le plus vite possible. Prenant Éric Trotteur au mot, elle lui offrirait ses services. Même s'il lui fallait pour cela abandonner son appartement dans la voiture de Pierre.

Après avoir prévenu sa famille de ses intentions, elle remit sa démission à Caldo. Elle voulut dire au revoir à ceux et celles qu'elle considérait comme ses amis. Il y en avait bien peu. En excluant Gutenberg et Caldo, envers lesquels elle gardait rancune, il ne restait plus que

Chouchou de Bruxelles. Malgré sa popularité comme chroniqueuse mondaine, Cendrine se rendit compte combien elle était une souris solitaire.

5

L'appel mystérieux

Pour la première fois depuis des mois, Gertrude Sauerkraut sortit toute seule de la maison, ses huit chats sur les talons. Elle se dirigea vers le garage et s'installa au volant de sa vieille Volkswagen. Quelle joie c'était pour elle de retrouver enfin sa liberté ! Son opération de la cataracte ayant été un succès, elle pouvait enfin recommencer à conduire pour se rendre où bon lui semblait, quand elle en avait envie. Elle n'aurait plus à dépendre de son fils Pierre, qui la conduisait certes chaque jour à son usine de choucroute au village, mais rechignait toujours lorsqu'elle voulait faire des courses ou visiter ses vieilles amies.

Après quelques semaines de concessions mutuelles, les tensions entre la vieille dame et son fils étaient devenues palpables. Gertrude en avait plus qu'assez de ramasser les chaussettes sales, les boulettes de papier et les mouchoirs que son fils laissait traîner dans tous les coins de la maison. Elle ne supportait plus qu'il se plaigne de ses chats adorés, qui, prétendait-il, prenaient un malin plaisir à le déranger pendant son travail et à mâchouiller les pages fraîchement imprimées de son manuscrit.

De son côté, Pierre en avait marre des remontrances de sa mère. Comme lorsqu'il était petit, elle lui rappelait sans cesse d'essuyer ses souliers en entrant, de se brosser les dents, de faire son lit, de baisser le siège des toilettes, et l'obligeait à terminer les assiettes qu'elle remplissait toujours à ras bords.

Content d'apprendre que sa mère pouvait enfin conduire, il ne tarda pas à lui annoncer son départ.

— Il ne me reste plus qu'un peu de fignolage et j'aurai terminé mon bouquin, lui avait-il indiqué pendant le petit-déjeuner. D'ici une semaine au plus, je retournerai travailler au journal et vivre dans mon appartement en ville.

— Ça me fait beaucoup de peine de te voir partir, mentit Gertrude en dissimulant mal un sourire de soulagement.

Il était déjà onze heures et, contrairement à son habitude, Pierre était toujours à l'intérieur de la maison. « Que peut-il bien bricoler ? » s'interrogea Cendrine, plus impatiente que jamais de quitter son patelin.

Elle avait bien entendu le bruit assourdi d'un moteur plus tôt ce matin, mais comme ce n'était pas celui de la voiture qui lui servait d'abri, elle n'en avait pas fait de cas.

La souricette grimpa prudemment sur le toit de sa maison mobile, d'où elle avait une vue imprenable sur la fenêtre ouverte du salon. Il n'y avait pas un chat dans les parages. Sans doute étaient-ils dans la grange du voisin à chasser les souris et les moineaux.

Entre les rideaux, Cendrine constata que la pièce était jonchée de boîtes de carton. Pierre était assis à sa table de travail, le récepteur du téléphone rivé à l'oreille.

— Si vous pouvez me prouver ce que vous affirmez, cela pourrait complètement changer la conclusion de mon livre, l'entendit-elle dire à son interlocuteur invisible. Il faut absolument que je vous rencontre. Accepteriez-vous de me montrer votre laboratoire secret ?

Un long silence s'ensuivit. Après quoi, Pierre prit son carnet pour noter quelque chose.

— Je serai à l'Université de la Montagne dans quatre-vingt-dix minutes, ajouta Pierre, avant de raccrocher.

Université de la Montagne ? Cela rappelait quelque chose à Cendrine. N'était-ce pas de cet endroit que venaient les présumés fondateurs de Souréal ?

« Si Pierre s'y rend, il faut que je trouve le moyen d'éviter les chats féroces de Montréal pour y aller aussi », décida-t-elle.

Pierre fouillait fébrilement dans ses boîtes. Il en sortit un appareil photo, un tout petit magnétophone, des cassettes et des piles. Il fourra le tout dans son porte-documents, avec son téléphone cellulaire et une douzaine de stylos. Il saisit son carnet de notes, son parapluie, son imperméable et se précipita dehors, laissant la porte grande ouverte.

Plus vite que l'éclair, Cendrine s'était discrètement faufilée dans l'habitacle de la voiture, puis cachée sous le siège du conducteur. Pierre ouvrit la portière arrière pour déposer ses affaires sur la banquette. Il ferma la porte, mais se ravisa pour prendre son téléphone cellulaire dans la mallette. Puis, assis à la place du conducteur, il enfonça la clé dans le contact d'une main et composa un numéro sur l'appareil téléphonique de l'autre.

— Bonjour, patron, c'est Pierre. Réservez-moi un espace à la une, lui dit-il sur un ton excité. Je pense bien avoir une nouvelle sensationnelle!

— ...

— Ce serait trop long à vous expliquer au téléphone, mais le professeur Santorin vient de m'appeler.

— ...

— Vous ne vous souvenez pas de lui ? C'est ce scientifique qui faisait des expériences *transgéniques** controversées avant qu'on les interdise. J'avais fait une série d'articles sur ses travaux. C'est pour ça qu'il m'a appelé.

— ...

— Je me rends de ce pas à son laboratoire. Il affirme qu'il a continué ses recherches et qu'il aurait fait une percée extraordinaire.

— ...

— Je ne veux pas vous en dire plus sans en avoir la preuve. Mais il prétend que sa découverte pourrait convaincre notre gouvernement de revenir sur sa décision d'interdire toutes les expérimentations génétiques sur les humains et les animaux.

— ...

— Je vous rappelle tout de suite après ma rencontre avec lui.

— ...

— Prudent, pourquoi ? Ce n'est pas un gangster, c'est un scientifique !

— ...

— Fou ? Peut-être, je verrai bien. Je vous laisse. À plus tard.

68

Des expériences génétiques sur les humains et les animaux? Cendrine avait lu dans *L'Écho-Souris de Souréal* qu'elles étaient maintenant interdites dans presque tous les pays du monde. Cela réjouissait les souris, car plus souvent qu'autrement, c'était sur elles que les savants s'acharnaient. En lisant un article décrivant le sort peu enviable des animaux de laboratoire, Cendrine avait eu la surprise d'apprendre que quatre-vingt quinze pour cent du *génome** des souris était identique à celui des deux-pattes. Cela faisait de ses congénères le cobaye préféré des hommes.

« Je sens qu'il y a dans cette affaire de quoi intéresser les lecteurs de *L'Écho-Souris de Souréal*, estima-t-elle. Il faut absolument que je sache de quoi il retourne. »

Quelle découverte pouvait en effet être assez importante pour que l'on permette la reprise de ces manipulations génétiques? Les spéculations les plus folles se bousculaient entre les deux oreilles pointues de la journaliste. Le professeur Santorin aurait-il mis au point une *thérapie génique** miracle pour enrayer une maladie mortelle? Aurait-il

trouvé le moyen de fabriquer des orga-
nes de rechange pour les humains ?

Perdue dans ses pensées, elle ne vit
pas le temps passer. C'est son odorat
qui l'informa de leur arrivée à Montréal.
Malgré la pluie qui tombait dru, l'odeur
de pipi de chat était si forte qu'elle se
pinça le museau.

Pas question de sortir à découvert
dans un pareil piège à souris ! Cendrine
se faufila dans une poche du manteau
de Pierre.

Celui-ci se gara dans le vaste stationnement extérieur de l'université. Puis il
s'étira le bras vers l'arrière pour prendre

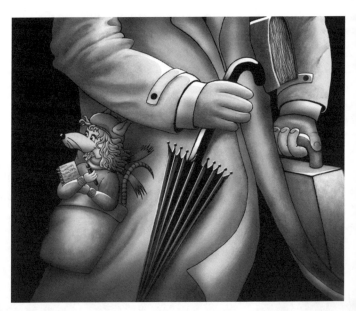

sa mallette, son parapluie et son imperméable, qu'il enfila en gesticulant sur son siège. Bousculée de tous côtés, la pauvre Cendrine suffoqua quelques secondes, lorsqu'elle se retrouva coincée sous la cuisse de Pierre. Un petit cri, heureusement inaudible, lui échappa. Quel soulagement ce fut pour elle lorsqu'il sortit de la voiture !

Pierre courut sous l'averse jusqu'à l'entrée de l'université. À l'intérieur, il ôta immédiatement son pardessus trempé et le secoua violemment pour l'égoutter. Cendrine s'accrocha fermement au tissu, en espérant que les secousses prendraient bientôt fin. Les turbulences cessèrent enfin lorsque Pierre posa son imperméable sur son avant-bras. Encore étourdie, Cendrine l'entendit parler :

— Bonjour, madame, j'ai rendez-vous avec le professeur Santorin. Pouvez-vous m'indiquer où se trouve son bureau ?

— Qui dois-je annoncer ? Je l'appelle et il viendra vous chercher.

— Pierre Sauer, reporter au *Quotidien*.

L'attente fut longue pour Cendrine, qui s'inquiétait à l'idée que Pierre puisse laisser son pardessus là où il l'avait posé, sur une chaise sans doute. Car Pierre avait la fâcheuse habitude de semer plein d'objets personnels partout sur son passage. On aurait pu emplir une armoire avec tous les parapluies, vestons, écharpes et gants qu'il avait oubliés!

Une voix inconnue souhaita la bienvenue à Pierre:

__ Monsieur Sauer, comme je suis heureux de vous revoir! Venez avec moi.

— Monsieur Sauer! lui lança la réceptionniste. Vous oubliez votre manteau.

Si Cendrine l'avait pu, elle aurait embrassé la brave dame.

6

Histoire de gènes

Pierre Sauer avait grand-peine à suivre le professeur Santorin. Le reporter avait pris beaucoup de poids en quelques mois chez sa mère ! Courant presque, le scientifique chauve, vêtu d'un complet marron élimé, lui faisait parcourir un labyrinthe de corridors reliant une succession d'édifices universitaires d'âges très différents. Celui dans lequel il mena Pierre était sûrement le plus âgé de tous, à la limite du délabrement. C'était le pavillon de botanique, la matière que le professeur Santorin enseignait officiellement depuis l'interdiction des manipulations génétiques chez les humains et les animaux.

— Nous y sommes. Voilà mon bureau, fit-il.

Lorsque le professeur ouvrit la porte, une désagréable odeur monta au museau de Cendrine. Du fond de la poche de l'imperméable, elle pouvait sentir le renfermé, la poussière, l'ammoniaque, mais aussi le parfum très caractéristique des souris. Elle se pinça les narines mais garda les oreilles grandes ouvertes.

— Vous pouvez déposer vos affaires sur cette chaise, indiqua le savant.

— Ne deviez-vous pas me montrer votre laboratoire ?

— Patience, patience. Je veux d'abord vous expliquer pourquoi je vous ai appelé.

Pierre se pencha sur son porte-documents pour y prendre son magnétophone et son carnet de notes.

— Vous allez m'aider à réparer la grave erreur que le gouvernement a commise en interdisant la *transgenèse**.

— Vraiment ? Comment pourrais-je faire cela ?

— En publiant dans votre journal ce que je vais vous apprendre aujourd'hui. Il faut que le monde entier le sache. Lorsque la nouvelle sera rendue publique, les autorités n'auront pas d'autre choix que de m'écouter !

— C'est un pari risqué que d'utiliser la presse de cette façon. Cela pourrait se retourner contre vous.

— Je le sais, mais c'est la seule solution possible.

— Vous permettez que je vous enregistre ?

— Certainement. Je n'irai pas par quatre chemins d'ailleurs. Vous connaissez déjà la nature de mes recherches visant à identifier les *gènes** responsables des fonctions supérieures du cerveau, comme l'intelligence, la mémoire, l'émotivité, l'imagination et la créativité. Pour en comprendre le fonctionnement, j'avais implanté dans des *embryons** de souris, par *micro-injection in vitro**, différentes combinaisons de gènes que je croyais responsables des capacités intellectuelles des humains.

— Oui, oui, vos recherches font d'ailleurs l'objet du chapitre final de mon livre. Ce sont elles qui ont conduit à l'interdiction systématique de créer des OGM*, qu'ils fussent végétaux ou animaux. Vos *souris humanisées*, surtout votre souris à visage humain, ont déclenché une véritable hystérie dans l'opinion publique !

— En effet, à ce moment-là, j'ai vite compris que le monde n'était pas encore prêt à accepter que des scientifiques défient les lois de la nature. L'incendie de mon laboratoire, survenu pendant cette période, arrangeait tout le monde, ajouta-t-il sur un ton amer.

— Je n'ai pas pu m'empêcher de trouver cela suspect, mais personne n'a tenu compte de mes articles à ce sujet.

— Je dois vous avouer aujourd'hui que vous aviez raison d'avoir des doutes. Cet accident fortuit, c'est moi-même qui l'ai provoqué.

— Pourquoi avoir fait une chose pareille ?

— Tout simplement pour poursuivre ma quête sans être inquiété. L'université m'avait déjà annoncé que j'allais devoir me recycler en botanique. Et j'étais convaincu que le gouvernement n'allait pas tarder à voter une loi qui compromettrait mes travaux. Avant de tout brûler, j'ai donc pris soin de transférer mes données scientifiques, mon coûteux équipement de *génomique** et mes précieuses souris humanisées dans un endroit sûr. Puis, en secret, j'ai continué à observer et à éduquer mes souris intelligentes. Vous ne me croirez sans doute pas, mais l'une d'elles a appris notre langue!

— Vous me faites marcher!

— Absolument pas! s'indigna le savant. Malheureusement, à l'exception d'une seule, toutes mes souris humanisées ont réussi à s'enfuir, il y a déjà une vingtaine d'années. Mais j'ai des enregistrements vidéo pour prouver leurs incroyables capacités.

Cendrine n'en croyait pas ses oreilles pointues! «Y aurait-il un lien entre ces souris *hybrides** et les fondateurs de Souréal?» se demanda-t-elle.

— Une vidéo ne suffira pas à prouver quoi que ce soit, répliqua Pierre. N'importe qui aujourd'hui peut réussir des trucages.

— Peu importe, car ce n'est pas pour cela que je vous ai fait venir. La chose la plus importante est que, même si mes souris humanisées avaient toutes dépassé l'âge où les souris meurent normalement, elles ne présentaient pas le moindre signe de vieillissement! C'est ce qui m'a mis la puce à l'oreille. J'ai soudain compris que, en injectant des gènes humains dans les embryons de souris, j'avais aussi allongé leur espérance de vie! À ce moment-là, elles avaient atteint l'âge de cinq ans, l'équivalent de cent cinquante ans à l'échelle d'une vie humaine! Ce miracle, c'est à la transgenèse qu'on le doit!

— Cette vieille utopie de la vie éternelle, railla Pierre. Des tas de scientifiques avant vous s'y sont cassé les dents!

— Ce n'est plus un rêve, monsieur Sauer. C'est une réalité et je peux le prouver, cette fois. L'unique souris humanisée que j'ai pu conserver a aujourd'hui près de trente ans! Elle est en pleine forme, peut-être même encore plus que vous ne l'étiez à son âge, souligna-t-il en pointant la bedaine naissante de Pierre.

«Voilà qui explique peut-être la longévité d'Augehym Ier!» nota fébrilement

Cendrine dans son carnet. Suivant la logique du professeur, celui-ci pourrait vivre jusqu'à quatre-vingts ans ou même devenir centenaire !

— Et ce n'est pas tout, poursuivit le savant. Après avoir fait cette étonnante découverte, j'ai délaissé l'étude des gènes de l'intelligence pour me concentrer sur le phénomène de la longévité. J'ai fait d'autres expériences pour vérifier si je pouvais reproduire ce résultat avec différentes espèces animales et végétales.

— Comment avez-vous pu le faire puisque le commerce d'embryons était interdit et que votre qualité de botaniste ne vous permettait plus de vous procurer des animaux de laboratoire ?

— J'avais conservé un stock d'embryons de souris et des cellules d'une grande variété d'animaux et de végétaux dans un congélateur spécial. Pour vérifier ma théorie, j'ai sélectionné les espèces qui possédaient une espérance de vie très différente de celle des souris. Je me suis mis à la recherche du gène de la longévité pour chaque espèce. Les souris qui avaient reçu des gènes de mouche drosophile, par exemple, vieillissaient prématurément et mouraient au bout de deux mois. Tout un hasard, n'est-ce pas ? Vous savez sans doute que ces petites mouches à fruits ne vivent normalement que soixante jours !

— Ça ne prouve absolument rien ! Vos souris aux gènes de mouche auraient pu mourir de n'importe quoi !

— Vous avez parfaitement raison. C'est pourquoi j'ai concentré mes efforts sur le deuxième groupe. J'ai utilisé des cellules de méduse, d'éléphant, d'esturgeon, d'aigle royal, de tortue géante, de chêne et de séquoia, cet arbre magnifique qui vit des milliers d'années. Dans tous les cas où les créatures hybrides étaient viables, elles ont toutes présenté le même cycle de vieillissement que l'espèce à laquelle les gènes étrangers appartenaient. Malheureusement, toutes mes souris possédaient également d'autres caractéristiques physiques indésirables telles des branchies, des plumes ou une croissance démesurée. Je n'avais pas encore réussi à isoler convenablement le gène de la longévité. Je dois admettre que, dans certains cas, j'ai créé de véritables monstres !

« Mais je suis convaincu que, en implantant les gènes responsables de la longévité chez d'autres espèces dans des embryons humains, nous pourrions prolonger leur vie, voire les rendre immortels ! Je touche presque au but. Bien que j'aie la certitude d'avoir réussi ma dernière tentative, je dois absolument poursuivre mes essais sur les souris. En effet, celle à qui j'ai injecté le *gène de longévité** d'un séquoia est parfaitement normale sur tous les plans. Mais avant d'appliquer le procédé aux hommes, je dois pouvoir réussir l'expérience à plusieurs reprises.

« Vous rendez-vous compte ? En utilisant ce gène de séquoia, les gens pourraient vivre pendant des milliers d'années ! » s'exclama le savant, les yeux brillants.

Au terme de ce long monologue, Pierre jeta un regard incrédule au savant. Le patron avait sans doute raison. Santorin était devenu fou.

— Vous ne me croyez pas ? Venez, je vais vous le prouver, promit le professeur en se dirigeant vers la porte du bureau.

Pierre se leva pour le suivre, mais le scientifique verrouilla la porte de l'intérieur à double tour.

— On n'est jamais trop prudent, confia-t-il en se retournant vers la bibliothèque située au fond de la pièce.

Il plongea la main derrière les livres d'un rayon et poussa la bibliothèque le long du mur, vers la gauche.

— On se croirait dans un roman d'espionnage, marmonna Pierre, pendant qu'une porte apparaissait là où se trouvait la bibliothèque quelques secondes plus tôt.

— C'est l'avantage des vieux édifices. On y découvre souvent des passages secrets.

Pierre saisit sa mallette et suivit le professeur dans l'escalier étroit et mal éclairé menant au sous-sol.

Cendrine risqua un bout de museau hors de la poche de l'imperméable.

«Il faut absolument que je voie le laboratoire du professeur de mes propres yeux», décida-t-elle.

Sautant de la chaise, elle se précipita à la suite des deux hommes, tout en restant à distance pour qu'ils ne remarquent pas sa présence.

— Pour chaque créature viable, il faut sacrifier des centaines d'embryons, expliquait le professeur, dont la voix parvenait à Cendrine, tapie dans l'obscurité du couloir.

— Plusieurs de mes souris transgéniques ne se sont pas rendues à terme et d'autres sont mortes à la naissance. D'où le nombre impressionnant de fœtus et de nouveau-nés que vous voyez ici. À ce rythme-là, on épuise très vite ses ressources ! Mais venez dans l'autre pièce, le spectacle y est beaucoup plus réjouissant.

Pétrifiée dans l'embrasure de la porte du laboratoire, Cendrine était confrontée à une vision d'horreur. Des bocaux s'entassaient sur une très haute étagère placée contre le mur du vestibule. Chaque bocal renfermait une créature monstrueuse, flottant dans un liquide transparent. Souriceaux parfaitement constitués, souriceaux sans queue, sans pattes, ou avec des corps et des têtes complètement difformes, tous manifestement sans vie. Une forte nausée s'empara de Cendrine. Elle se précipita dans le corridor pour vomir.

Pendant ce temps, le professeur Santorin et Pierre avaient disparu dans une autre pièce. Leurs voix atteignaient Cendrine en sourdine. Recouvrant ses sens, elle traversa rapidement le vestibule, en gardant les yeux rivés au sol pour éviter de revoir tous ces êtres cauchemardesques, qui auraient pu être ses frères et sœurs.

Debout devant une grande table surmontée d'une douzaine de cages et d'aquariums, Pierre écoutait, bouche bée, les explications du scientifique. L'immense pièce fortement éclairée était d'une propreté étincelante. Le professeur devait l'entretenir avec grand soin.

— Voici peut-être une de mes *chimères** les plus spectaculaires, OGM 598. J'ai obtenu cette souris-poisson en introduisant des gènes d'esturgeon dans un embryon de souris. J'ai malheureusement perdu une douzaine de petits avant d'arriver à ce résultat. J'ai compris un peu tard que la *mère porteuse** devait accoucher sous l'eau!

— Puis-je faire des photos? lui demanda Pierre. Il me faut des preuves si vous voulez que mon article soit convaincant.

84

— Prenez tous les clichés que vous voulez. N'oubliez surtout pas OGM 133, la souris-chêne. Elle a déjà quinze ans, mais j'ai bien peur qu'elle n'en ait plus pour longtemps. Son écorce devient de plus en plus épaisse et rigide.

— Et cette souris verte fluorescente, avec quelle espèce l'avez-vous croisée ?

— Avec une méduse. C'est le *gène GFP** qui lui donne sa couleur. Mais voici OGM 2. C'est cette souris à face humaine qui a aujourd'hui trente ans. Vous vous souvenez d'elle, n'est-ce pas ?

— Comment aurais-je pu l'oublier ? Ce visage me hante depuis si longtemps !

— Vous voyez qu'elle est en parfaite forme physique. Elle est d'ailleurs la mère porteuse de toutes les créatures mortes ou vivantes de ce laboratoire. Le souriceau qu'elle allaite en ce moment est OGM 1000. Il est le résultat de ma plus récente expérience sur le dernier de mes embryons congelés.

— Il ne vous en reste plus un seul ? lui demanda Pierre sans cesser de prendre des photos.

— Malheureusement non. Et comme mes embryons étaient tous de sexe masculin, je n'ai pas pu produire de nouvelles lignées. C'est pour cela que j'ai besoin de votre aide. Venez avec moi, je vais vous montrer comment j'ai réussi à isoler le gène de la longévité du séquoia.

Le savant et le journaliste se retirèrent dans un cagibi au fond du laboratoire, en refermant la porte derrière eux. Cendrine en profita pour s'approcher des souris captives.

— Psitt! fit-elle à OGM 2.

Celle-ci repoussa le souriceau pendu à ses mamelles pour se précipiter vers le bord de sa cage.

— Qui va là? demanda la souris aux traits humains.

— Je m'appelle Cendrine Després, journaliste. Je peux vous poser quelques questions?

— Grimpez sur la table que je vous voie mieux.

Lorsqu'elle vit OGM 2, Cendrine recula d'un pas. Quelle créature inquiétante! Elle avait un corps de souris à poils blancs, surmonté d'une tête chauve d'apparence humaine. Son visage était aplati comme celui d'une femme. Ses oreilles, haut perchées et collées sur sa tête, étaient rondes. Mais ses moustaches et ses longues incisives étaient bien celles d'une souris.

Cendrine éprouvait un malaise indescriptible. Devait-elle craindre le côté humain d'OGM 2 ? Pouvait-elle lui parler comme à une semblable ?

Devinant son trouble, OGM 2 l'aborda la première :

— Ne vous en faites pas, j'ai produit le même effet sur les gens qui m'ont vue pour la première fois il y a trente ans. Vous vous habituerez très vite à ma différence. Malgré les apparences, je suis une souris. Comme toutes les chimères de ce laboratoire d'ailleurs.

Pendant près d'une heure, Cendrine put s'entretenir avec OGM 2 et les autres souris transgéniques. Elle apprit tout de leurs conditions de captivité et des expériences que menait le professeur. Elle aurait poursuivi ses entrevues encore longtemps, si son ouïe fine n'avait pas soudain perçu le déclic d'une poignée de porte que l'on tourne. Sans perdre une seconde, elle se précipita hors du laboratoire pour grimper l'escalier.

Lorsque les deux hommes la rejoignirent dans le bureau du professeur

Santorin, Cendrine avait déjà réintégré la poche de l'imperméable.

— Vous êtes vraiment certain de vouloir que j'écrive cet article en mentionnant votre nom et tout ? demanda Pierre en enfilant son pardessus. Vous risquez la prison.

— J'accepte ce risque. Les autorités ne pourront pas faire autrement que de permettre la poursuite de mes recherches. C'est trop important pour l'avenir de l'humanité.

— Je n'en serais pas aussi sûr à votre place. À quoi bon promettre la vie éternelle alors que tant de maladies demeurent incurables ? Et quel avantage nos enfants auraient-ils à vivre des milliers d'années, puisque la terre, déjà surpeuplée, arrive au bout de ses ressources ?

— Justement, quand la mort sera vaincue, les gens seront bien obligés de trouver des solutions durables à tous ces problèmes.

— Peut-être bien, mais à qui profitera cette immortalité ? À une poignée de privilégiés ?

— Ces décisions ne sont pas de mon ressort. C'est aux *bioéthiciens** et aux gouvernements d'y voir. Tout ce que je veux, c'est continuer mes travaux. Je vous le répète, la prison ne me fait pas peur.

En sortant du bureau, Pierre s'empressa d'appeler son patron au journal avec son téléphone cellulaire.

— Allô, c'est Pierre. Je tiens vraiment une nouvelle explosive! affirma-t-il d'un ton survolté. Je reprends du service aujourd'hui même. J'arrive dans quinze minutes.

Cendrine était tout aussi excitée. Si Pierre allait au journal, cela voulait dire qu'elle pourrait retourner aujourd'hui même à Souréal! Or, avec ce qu'elle avait vu et entendu, elle avait de quoi écrire un excellent article pour *L'Écho-Souris*...

7

Une primeur à la une

Le mystère de sa longévité résolu

Augehym Ier
est à moitié humain!

Cendrine Després
Collaboration spéciale

Issu des expérimentations génétiques d'un chercheur à deux pattes de l'Université de la Montagne à Montréal, le fondateur de Souréal est en partie humain, a appris en exclusivité *L'Écho-Souris de Souréal,* avec la collaboration (involontaire) de Pierre Sauer, reporter-vedette au *Quotidien de Montréal.* Voilà ce qui expliquerait son intelligence supérieure et sa remarquable longévité.

En implantant des gènes associés à l'intelligence humaine dans des embryons de souris, le professeur Santorin a en effet réussi, il y a de cela plus de trente ans, à créer les premières souris humanisées, dont Augehym Ier et une souris à visage humain nommée OGM 2.

Ces activités controversées sont à l'origine du violent débat de société qui a provoqué l'interdiction totale, au Canada, des organismes génétiquement modifiés (OGM), créés par l'introduction de gènes d'une espèce étrangère dans le génome des êtres humains, des animaux et des végétaux. Dépassé par cet incroyable exploit scientifique défiant les lois de la nature, le gouvernement des bipèdes avait alors mis fin à plusieurs décennies de manipulations génétiques dont des millions de souris ont terriblement souffert.

Laboratoire secret

Avant cette interdiction, toutefois, le professeur Santorin a réussi à transporter son équipement et ses spécimens dans un local connu de lui seul entre les murs de l'université, où il a poursuivi ses recherches dans le plus grand secret.

Constatant que ses hybrides souris-humains ne mouraient pas de vieillesse vers trois ans comme les souris ordinaires, il a délaissé ses re-cherches sur l'intelligence pour se concentrer sur le phénomène de la longévité. Il a alors cherché à identifier les gènes de longévité de diverses es-pèces animales et végétales en les implantant dans des embryons de souris.

Souris transgéniques

Lors de son passage dans le laboratoire clandes-tin du professeur Santorin à l'Université de la Montagne, la collaboratrice de *L'Écho-Souris* a pu interviewer quelques-unes des créatures sur-prenantes nées de ces manipulations génétiques.

La doyenne du groupe, OGM 2, a été fort heureuse d'apprendre qu'Augehym Ier était tou-jours vivant et qu'il avait fondé la cité de Sou-réal. «Je n'en attendais pas moins de cette souris connue ici sous le nom de OGM 1, a-t-elle révélé. C'était la plus douée du groupe de souris possé-dant des gènes humains. Malgré son apparence de souris, OMG 1 avait tout d'eux. Il parlait leur langue et son cerveau était incroyablement développé. Le professeur Santorin a été très af-fecté lorsqu'il s'est enfui, à l'âge de dix ans, avec une dizaine d'autres cobayes de notre groupe.»

Interrogée sur la raison l'ayant empêchée de se joindre aux fugitifs, OGM 2 a répondu qu'elle était restée par choix. «Toutes les créatures de ce laboratoire sont un peu mes petits. C'est moi qui les ai portées, a déclaré cette souris à tête humaine. J'ai décidé de sacrifier ma vie à la science. Je ne parle peut-être pas l'humain, mais j'ai presque trente ans! N'est-ce pas absolument exceptionnel pour une souris?»

Gène de longévité

OGM 2 est, selon le professeur Santorin, la preuve vivante que sa théorie est valable. Grâce à l'un des gènes humains que porte cette souris, a-t-il confié au reporter Pierre Sauer, son cycle de croissance et de vieillissement est devenu le même que celui d'un être humain. «Je suis convaincu que, en implantant les gènes responsables de la longévité chez d'autres espèces dans des embryons humains, nous pourrions prolonger leur vie, voire les rendre immortels!»

Ses expériences ultérieures avec des gènes de différentes espèces animales et végétales semblent confirmer son hypothèse. «Je touche presque au but, a affirmé le savant. Mais pour y arriver, je dois absolument poursuivre mes expériences sur les souris.»

Monstres

Le scientifique a en effet connu plusieurs échecs. À part un souriceau parfaitement constitué portant, selon ses dires, le gène de longévité d'un séquoia (un arbre pouvant vivre des milliers d'années), les chimères du professeur Santorin présentent toutes, en plus de leur longévité supérieure, des caractéristiques physiques indésirables des autres espèces.

L'une d'elles, qui ressemblait à s'y méprendre à un tronc d'arbre, se déplaçait péniblement sur quatre petites branches. «Depuis quinze ans, je ne cesse de grandir et ma peau se transforme progressivement en écorce, a confié l'étonnante bestiole mesurant près d'un mètre. À ce rythme-là, je n'en ai plus pour très longtemps à vivre. Pourtant, j'ai en moi des gènes de chêne, un arbre qui vit normalement plus de cinq cents ans!»

OGM 512, un rongeur d'apparence normale, à part sa couleur verte, s'estimait heureux de son sort de cobaye. «Avec ma couleur fluorescente, je serais une proie beaucoup trop facile pour les chats. Alors que, dans ma cage, je suis à l'abri. Et laissez-moi vous dire que c'est la belle vie! Le ménage est fait chaque semaine. J'ai un gymnase personnel tout équipé. J'ai de l'eau et une excellente nourriture à volonté. Le professeur Santorin me parle et me flatte tous les jours. Ça fait vingt ans que cela dure et je ne suis même pas gâteux!»

Pour sa part, OGM 598, une étrange souris sous-marine, n'a pu cacher son sentiment de révolte. «De quel droit un humain peut-il faire ça à un autre être vivant! Regardez-moi! Jamais je ne pourrai vivre avec d'autres souris! s'est-elle insurgée. Je suis condamnée à vivre sous l'eau et à me nourrir de plancton. S'il n'y avait pas un couvercle sur mon aquarium, il y a longtemps que j'aurais sauté par-dessus bord!»

Même son de cloche chez la souris à plumes, la souris-éléphant et la souris à carapace de tortue. Toutes trois ont affirmé avoir enduré d'horribles souffrances morales et physiques depuis leur naissance.

Et que dire des centaines de fœtus et de souriceaux monstrueusement difformes exposés dans le laboratoire du professeur Santorin? Ils témoignent de la cruauté sans borne dont sont capables les humains à l'endroit des souris!

Car, au-delà du fait que l'origine de l'intelligence et de la longévité d'Augehym Ier soit maintenant connue, cette affaire fait renaître une menace réelle pour les cobayes préférés des humains. Le professeur Santorin est en effet convaincu que sa découverte du gène de la longévité incitera les autorités à permettre la reprise des expériences transgéniques.

L'avenir lui donnera-t-il raison? *L'Écho-Souris* de Souréal continuera à suivre de très près les développements de cette affaire.

— C'est une vraie bombe, cet article! s'exclama André P. Rate, le rédacteur en chef de *L'Écho-Souris*. On va jouer ça à la une et mettre toute la rédaction sur le coup. Je veux une déclaration officielle d'Augehym Ier et des entrevues avec les scientifiques de l'Université de Souréal. Faites-moi aussi une enquête sur les descendants d'Augehym Ier et de ses proches conseillers, puisqu'ils sont probablement les dix autres cobayes dont parle OGM 2. Je veux savoir si leurs rejetons vivent plus longtemps et s'ils sont plus intelligents que la moyenne. Et puis, amène-moi l'auteure, il faut qu'elle me raconte comment elle a fait pour aller à la surface sans se faire épingler.

— C'est moi qui ai fait ce reportage, lança Cendrine en entrant dans le bureau d'un pas assuré.

La souricette, qui attendait qu'Éric Trotteur vienne la chercher derrière la porte entrouverte, n'avait pu résister à la tentation de prendre les devants.

Le rédacteur en chef était fort surpris de se trouver en face d'une inconnue, aussi jeune en plus.

— D'où sort-elle? demanda-t-il à Éric.

— Je te présente Cendrine Després, ex-chroniqueuse mondaine d'un hebdomadaire de campagne. Elle vit en surface, dans la voiture du reporter humain qui est mentionné dans son article.

— C'est donc ça qui explique votre présence en surface! Je me demandais lequel de nos journalistes avait été assez fou pour défier le Règlement numéro un!

— Le capitaine Hercule Mulot de la SECSOU, le cousin de monsieur Trotteur, pourra vous confirmer que ce règlement s'applique uniquement aux résidants de Souréal. Je suis donc la seule souris journaliste qui puisse circuler librement entre les deux mondes.

— Excellent, excellent ! s'exclama André P. Rate. Vous pourrez continuer à suivre cette affaire sur le terrain. Tout ce qui concerne les expérimentations scientifiques sur les souris intéresse énormément nos lecteurs. Mais j'y pense, seriez-vous intéressée à devenir notre correspondante officielle du monde du dessus ? Vous pourriez vérifier sur place les nouvelles que nous interceptons des agences de presse des bipèdes.

C'était bien plus que ce que Cendrine avait espéré, elle qui pensait commencer aux fourmis écrasées !

— J'accepte, acquiesça-t-elle sans hésiter.

— Éric, continua André P. Rate, il faudra que tu lui fournisses un ordinateur portable, un téléphone cellulaire, un appareil photo numérique et un magnétophone. On ne pourra pas continuellement accepter de sa part des articles écrits à la patte !

— Je vais de ce pas à la réserve, chef.

— Voilà comment nous allons fonctionner, exposa le rédacteur en chef à Cendrine. Dès que vous apprenez quelque chose de neuf sur cette affaire ou sur une autre, vous nous appelez pour qu'on discute de l'angle de la nouvelle. Vous prenez des photos lorsque c'est possible, vous écrivez votre texte sur l'ordinateur et hop! vous nous les envoyez par courriel. C'est simple, non?

Dit comme ça, cela paraissait effectivement très simple, mais Cendrine se doutait bien qu'un long apprentissage serait nécessaire. Elle avait vu les journalistes de la salle de presse taper à toute vitesse sur leurs claviers d'ordinateur, entendu des bribes de leurs entrevues téléphoniques et regardé les minuscules écrans de leurs appareils photo. Mais elle n'avait jamais touché à ces choses!

Éric revint avec une valise contenant l'équipement du parfait reporter et une pile de manuels d'instructions.

Elle en aurait pour des semaines à lire et à comprendre tout ça!

— Ne t'en fais pas, la rassura-t-il en voyant ses yeux écarquillés. J'ai fait un résumé des fonctions principales de chaque outil de travail. Tu les maîtriseras en un rien de temps !

Elle espérait qu'il avait raison.

— Bon, pour le moment, je dois retourner à la surface. Il ne faudrait surtout pas que je manque Pierre. Il est la pierre angulaire – c'est le cas de le dire ! – de ma nouvelle carrière de correspondante.

Serrant la patte à ses nouveaux patrons, Cendrine promit de les appeler avec son téléphone cellulaire, dès qu'elle en aurait compris le fonctionnement.

8

Correspondante
du monde du dessus

« **T**am, tatatam, pompom… Ici Radio-Montréal. Voici maintenant les nouvelles de sept heures. »

Depuis une semaine déjà, ce thème musical réveillait Cendrine chaque matin, alors que Pierre Sauer allumait son poste de radio en démarrant. Pour suivre les développements de l'affaire Santorin, il se faisait un devoir d'arriver très tôt au journal.

Cendrine s'était rapidement adaptée à sa nouvelle routine de correspondante du monde du dessus. Cachée dans l'automobile, l'imperméable ou le porte-documents de Pierre, elle le suivait partout comme une souris de poche. Depuis la publication de son exclusivité, en effet, il avait repris sa vie trépidante de reporter.

La nouvelle de la découverte du gène de la longévité avait fait le tour du monde et occupait depuis plusieurs jours les pages principales de tous les grands journaux. À la télévision et à la radio, on ne parlait plus que d'organismes génétiquement modifiés et de vie éternelle. On aurait dit qu'il ne se passait rien d'autre sur la planète !

Les lignes ouvertes ne dérougissaient pas. Tous les soi-disant experts voulaient exprimer leur opinion sur l'affaire. Pour les scientifiques, il était grand temps que le débat reprenne, après avoir été étouffé pendant plus de vingt ans. L'avancement de la science ne pouvait être arrêté sous aucun prétexte, plaidaient-ils. Les avantages qui en découlaient étaient beaucoup plus importants que les risques.

Pour certains philosophes, c'était le spectre d'un nouvel *eugénisme** qui se profilait. Irait-on jusqu'à bricoler dès leur conception des humains parfaits? Et à qui profiterait ce gène de la longévité? demandaient-ils. Jusqu'où iraient les scientifiques, si l'on ouvrait la porte à la reprise d'expériences de croisements génétiques entre différentes espèces d'êtres vivants? La biodiversité serait-elle menacée? La création d'animaux suffisamment intelligents pour exécuter des tâches abrutissantes à la place des hommes serait-elle permise?

Perdus entre ces arguments complexes, Monsieur et Madame Tout-le-Monde, qui, hier encore, tenaient les êtres vivants génétiquement modifiés pour de la pure fiction, disaient n'importe quoi, trop pressés de retourner aux inepties habituelles, mais combien rassurantes, diffusées sur les ondes...

Attendant avec impatience les dernières nouvelles, Pierre n'était pas peu fier du débat que son reportage avait provoqué. Il monta le volume de son poste de radio.

« Radio-Montréal vient d'apprendre de source sûre que le professeur Santorin a été arrêté il y a quelques minutes. Le procureur général et le ministre de la Santé ont annoncé la tenue d'une conférence de presse à ce propos, dès neuf heures ce matin. Radio-Montréal y sera en direct. »

Cendrine s'empressa d'appeler Éric Trotteur avec son téléphone cellulaire tout neuf. Il lui restait encore bien des choses à apprendre sur le fonctionnement de l'appareil, mais au moins savait-elle placer et recevoir des appels.

— Bonjour, monsieur Trotteur. Il y a du neuf ce matin. Le professeur Santorin vient d'être arrêté. Je vais me débrouiller pour assister à la rencontre média prévue dans deux heures. J'aurai un article pour vous d'ici la fin de la journée.

Pierre appela lui aussi son patron pour l'informer qu'il se rendrait directement à la l'événement.

Heureusement, l'automne pluvieux obligeait Pierre à porter son imperméable tous les jours. Armée de son magnétophone et de son appareil photo miniatures, Cendrine s'engouffra dans une de ses poches.

Les décisions sur la reprise des expérimentations transgéniques reportées aux calendes grecques!

Cendrine Després
Correspondante du monde du dessus

En conférence de presse hier matin, le ministre de la Justice et le ministre de la Santé du gouvernement des bipèdes ont conjointement annoncé l'arrestation du professeur Santorin. Accusé d'avoir transgressé la loi interdisant la création d'organismes génétiquement modifiés, il est passible d'une peine de dix ans de prison.

Les autorités ont affirmé avoir démantelé le laboratoire secret du savant. Elles ont également assuré que toutes les souris transgéniques du professeur Santorin seraient transportées aux laboratoires du gouvernement, où elles finiraient leurs jours dans des conditions de confort et de sécurité maximales.

Quant à la reprise éventuelle des expérimentations transgéniques, les souris de Souréal pourront dormir tranquille pendant plusieurs générations encore. Pour calmer les esprits échauffés du public et de la communauté scientifique, le ministre de la Santé a en effet annoncé la mise

107

sur pied de divers comités d'experts chargés d'étudier à fond tous les aspects de la question. Il a aussi promis la tenue d'une vaste campagne de consultation publique. «Une décision aussi importante pour l'avenir de l'humanité et de la biodiversité ne mérite-t-elle pas quelques années de réflexion?», a-t-il lancé aux journalistes présents, avant de passer à un autre dossier.

Cendrine était assise à sa table de travail, devant son ordinateur portable. Elle venait tout juste d'envoyer au journal, par courrier électronique, son dernier article sur l'affaire Santorin. Il lui avait fallu des heures pour taper le court texte sur le clavier, une touche à la fois. Mais avec un peu de pratique, elle espérait gagner de la vitesse.

Sa journée de travail terminée, elle se servit un verre d'eau de pluie et un grand bol de céréales échappées d'un sac d'épicerie de Pierre.

Que de chemin elle avait parcouru en quelques semaines! songea la souricette en grignotant un flocon d'avoine. De chroniqueuse mondaine pour une

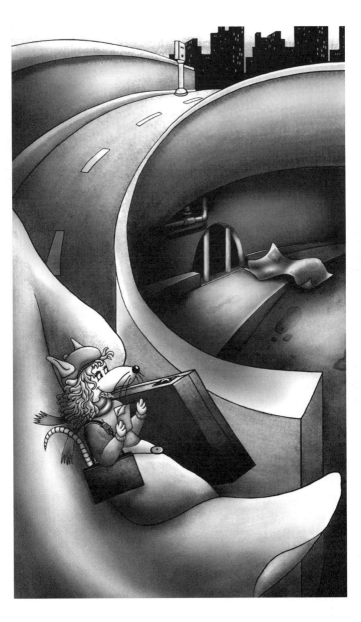

feuille de chou de campagne elle était passée correspondante pour un quotidien à gros tirage qui disposait de moyens technologiques fabuleux!

Elle se rendait compte à quel point *Choux Gras* appartenait maintenant au passé. Mais elle ne regrettait rien. Tout un monde de possibilités s'ouvrait maintenant à elle.

Cendrine eut tout de même un pincement au cœur en pensant à sa mère Christophine et à ses frères Cimon et Cylvain. Uniquement préoccupée par sa carrière, elle ne les avait pas revus depuis des lustres. Que devenaient-ils? S'inquiétaient-ils pour elle?

«La prochaine fois que Pierre retourne à Villechou, je leur apporte un téléphone cellulaire, se promit-elle. Comme ça, je pourrai prendre de leurs nouvelles et les tenir au courant de mes aventures.»

Réconfortée par cette idée, elle se mit au lit en serrant son ordinateur portable sur son cœur. Grâce à cet outil magique, elle venait de découvrir Internet et son inépuisable quantité de renseignements utiles pour ses prochains articles. Déjà la journaliste avait plusieurs sujets fascinants à proposer au journal. En naviguant sur la toile, Cendrine avait appris qu'il existait des colonies de souris partout où il y avait des hommes, des souris sauvages en voie d'extinction dans des contrées exotiques et des lieux paradisiaques où les chats étaient interdits…

«Je dois absolument trouver le moyen d'inciter Pierre à me conduire là où je souhaite aller», murmura-t-elle en fermant les paupières.

Lexique

Bioéthicien : Spécialiste des problèmes moraux soulevés par la recherche biologique, médicale ou génétique.

Chimère : Être vivant constitué de cellules appartenant à différentes espèces. Dans la mythologie grecque, la chimère est un monstre à tête de lion, au ventre de chèvre et à queue de dragon.

Embryon : Ovule (œuf) fécondé qui en est aux premiers stades de la division cellulaire.

Eugénisme : Mot venant du grec, qui signifie « bien naître ». Idéologie qui prétend améliorer la race humaine en cherchant à favoriser l'apparition de certains caractères et en éliminant les tares héréditaires.

Gène : Partie de l'ADN (acide désoxyribonucléique) contenant l'information biologique servant à la manifestation et à la transmission d'un caractère héréditaire précis (ex. : couleur des yeux ou des poils).

Gène GFP : Largement utilisé comme « marqueur génétique », ce gène de méduse, nommé GFP pour *green fluorescent protein* ou protéine fluorescente verte, a été isolé en 1991. En juin 1997, une équipe de scientifiques de l'Université d'Osaka a créé une première souris verte luminescente en transférant ce gène dans un embryon de souris.

Gène de la longévité : En 2000, Leonard P. Guarente, un professeur de biologie au Massachusetts Institute of Technology, a identifié un gène de longévité, appelé SIR2. Il a démontré que ce gène, qui s'active chez des animaux soumis à une diète sévère, a pour conséquence de ralentir le vieillissement. Plus récemment, des chercheurs de la faculté de médecine de l'Université Laval, dirigés par Robert Tanguay, ont réussi, par des manipulations génétiques, à prolonger du tiers la durée de vie de mouches drosophiles. Grâce à la surexpression du gène Hsp22, ces mouches à fruits vivant normalement soixante jours, ont survécu quatre-vingts jours, en conservant une activité locomotrice supérieure à la moyenne.

Génome : Désigne l'ensemble de l'information héréditaire (gènes) que l'on trouve dans chaque cellule d'une espèce déterminée. Le génome humain et celui de la souris ont tous deux été décodés. Ils possèdent environ 30 000 gènes chacun, dont seulement 300 sont spécifiques à l'un ou à l'autre.

Génomique : Science qui étudie les génomes.

Gutenberg, Johannes : (1400-1468) Imprimeur allemand considéré comme l'inventeur de l'imprimerie occidentale, une méthode d'impression utilisant des caractères métalliques mobiles et une presse typographique.

Hybride : Individu résultant du croisement génétique de deux espèces différentes.

Mère porteuse : Femelle portant un embryon artificiellement implanté.

OGM : Acronyme pour organisme génétiquement modifié (ou transgénique). Organisme vivant (micro-organisme, plante ou animal) dont le patrimoine génétique a été modifié par les techniques du génie génétique.

Micro-injection in vitro : Méthode utilisée dans les expérimentations transgéniques, qui consiste à introduire un ou des gènes dans un embryon. *In vitro :* Réalisé en éprouvette, hors du corps de la mère.

Souris humanisée : Souris porteuse de gène(s) humain(s), généralement créée afin de servir de modèle pour l'étude de maladies. OncoMouse®, par exemple, est une souris transgénique porteuse d'un gène responsable du cancer chez l'humain.

Thérapie génique : Utilisation de gènes dans le traitement de maladies.

Transgenèse : Technique de génie génétique permettant l'ajout d'un ou de plusieurs gènes étrangers au génome d'un être vivant, de façon à provoquer une ou des modifications dans les caractéristiques de ce dernier.

Transgénique : Se dit d'un être vivant dont le génome a délibérément été modifié.

Table des matières

Hélène Cossette

Hélène Cossette a grandi dans le quartier Villeray et habite Ahuntsic. À l'aube de la quarantaine, après avoir œuvré pendant quinze ans dans le domaine des communications, elle entreprend de compléter un certificat en journalisme. Au terme de ses études, elle se lance dans l'écriture de fiction, en marge de sa nouvelle carrière de rédactrice et de journaliste économique pigiste. Avec *Souréal et le secret d'Augehym Ier*, elle nous livre le second volet des péripéties de Cendrine Després, inspirées par l'actualité et le monde des médias. Toute ressemblance avec des personnages réels et des faits vécus est... voulue.

Derniers titres parus dans la
Collection Papillon